D0766192

LES AMOUREUX
DU SQUARE

Avis aux lecteurs

Vous êtes nombreux à nous écrire
et nous vous en remercions.
Pour être sûrs que votre courrier arrive,
adressez votre correspondance à :

Bayard Éditions Jeunesse
Collection Cœur Grenadine
3 / 5, rue Bayard
75008 Paris.

Cœur Grenadine

LES AMOUREUX DU SQUARE

CATHERINE GANZ-MULLER

BAYARD JEUNESSE

BIOGRAPHIE

Catherine Ganz-Muller est née à Paris, où, après des études de lettres à la Sorbonne, elle a travaillé longtemps dans le cinéma. Sa passion des livres l'a amenée à être libraire puis bibliothécaire. Elle vit maintenant en Bretagne avec son fils, un adolescent qui l'aide à mieux percevoir les réalités de cet âge. Mais ne croyez pas qu'elle ait réponse à tout : elle donne une piste, un indice, qu'elle puise aussi dans sa propre expérience.

Cœur Grenadine est une marque déposée,
reproduite avec l'aimable autorisation d'Alain Souchon et de Laurent Voulzy

© Couverture Bayard Éditions Jeunesse
Tous droits réservés. Reproduction même partielle interdite.
© 2001, Bayard Éditions Jeunesse

Loi n° 49-956 du 16 juillet 1949
sur les publications destinées à la jeunesse
Dépôt légal mars 2001

ISBN : 2 747 000 02 8

Chapitre 1

– Pauline? Tu es là?
La porte vient de claquer. La voix de
Clémence est claire, gaie comme un rayon
de soleil. Elle sait bien que je suis là, mais
elle entre toujours dans l'appartement en
criant: «Pauline? Tu es là?» Je suis sûre
qu'elle le fait aussi quand je suis absente.
Clémence, c'est ma sœur. Elle a quinze ans.
Moi, j'aurai bientôt quatorze ans, et j'aimerais beaucoup lui ressembler. On s'entend

vraiment bien. Elle est ma sœur, mais surtout ma meilleure amie.

Maman est infirmière, et parfois elle est de garde, la nuit, à l'hôpital. Papa travaille pour une compagnie aérienne. Il est souvent en voyage. Heureusement, il y a les week-ends et pendant deux jours on se retrouve tous ensemble.

Même lorsque papa est à Paris et qu'il revient plus tôt à la maison, il n'y a personne pour nous accueillir à cinq heures, au retour du collège. Alors, Clémence a pris l'habitude de s'occuper de moi, et moi d'elle. Les devoirs finis, on s'amuse à échanger nos vêtements ou à se maquiller jusqu'au retour des parents. Clémence achète beaucoup de magazines, et on s'entraîne à imiter les mannequins. Elle dit toujours d'un ton pointu qu'elle veut être « fuuurieusement tendance ». Ça nous fait rire. Je l'admire, Clémence.

Cette année, elle a sorti ses robes d'été dès les premiers jours du printemps et, malgré les remarques de maman, elle a passé tout le mois d'avril à grelotter.

Elle vient vers moi en brandissant un journal :

– Regarde ! Le dernier *Miss* est sorti. Tu as vu le top, là ? Super ! Non ?

– Pas mal.

– Attends ! Il est terrible ! J'aimerais tellement l'avoir pour aller à l'anniversaire de Clarisse !

– Et celui à paillettes avec le zip sur l'épaule, tu crois qu'il m'irait ?

– Comme des écailles à un caniche ! Allez, dépêche-toi ! Augustin nous attend à deux heures devant le Gaumont avec Rémi. Je mets une robe et j'arrive.

J'ai bien un devoir de maths à finir, mais si Augustin et Clémence laissent tomber leurs révisions du brevet, je peux oublier mes maths de quatrième !

J'aime bien Rémi. On sort ensemble depuis Pâques. Je ne suis pas vraiment amoureuse, mais il est gentil et puis, surtout, Clémence sort avec Augustin et, moi aussi, je veux avoir un copain. Elle est très amoureuse, Clémence. Je le sais parce qu'elle me raconte tout. J'aimerais bien vivre un grand amour comme elle. Alors j'essaie d'aimer Rémi. Pourtant, je rêve du coup de foudre, comme dans les films.

Il faut que je me change. Cette jupe est ridicule. Clémence aura sûrement un look génial, et je veux être aussi bien qu'elle.

Il y a un monde fou devant le cinéma. Les garçons sont déjà dans la file d'attente. En nous voyant arriver, Augustin vient vers nous. Il embrasse Clémence et me jette un : « Salut », comme s'il me connaissait à peine. Il m'impressionne un peu, Augustin. Il est très grand, et je le trouve très beau. Mais il ne voit que Clémence. Moi, je compte pour du beurre. De toute façon, je suis avec Rémi ; alors si Augustin n'est pas aimable avec moi, ça m'est égal. Je ne suis même pas obligée de le regarder.

On rejoint Rémi, qui s'impatiente. Il dépose un baiser bruyant sur ma joue, ses lunettes de soleil me cognent le nez, et ça le fait rire. Il est vraiment sympa, Rémi. Il a toujours envie de s'amuser. Il n'est pas très grand, mais très costaud. Il s'enveloppe toujours dans des grands sweats de toutes les couleurs, et je trouve que cette façon de s'habiller correspond bien à son caractère jovial. On dirait un bonhomme de dessin animé qui sourit tout le temps.

Il a choisi les places. Comme d'habitude,

on a le nez sur l'écran. À peine assis, Augustin passe son bras autour des épaules de Clémence et l'attire vers lui. Je ne sais pas ce qu'il lui chuchote, mais elle rit fort. Je me rapproche de Rémi. Va-t-il, lui aussi, me prendre dans ses bras ?

La lumière baisse et les premières images de pub apparaissent. Je me serre contre Rémi ; rien ne se passe. Tant pis, je pose ma tête sur son épaule, il va peut-être comprendre. Rémi ne regarde pas l'écran. Il a la tête tournée vers les deux autres. Je me penche un peu. Augustin est en train d'embrasser Clémence. Les yeux fermés, ils ignorent ce qui les entoure. J'appuie un peu plus ma tête sur l'épaule de Rémi. Il comprend enfin, passe son bras autour de mon cou et dépose un baiser léger sur ma joue. Pas de frisson, mais, au moins, je fais presque comme Clémence.

La lumière se rallume. Rémi enlève son bras si vite qu'il me cogne. Augustin et Clémence sont toujours en train de s'embrasser.

— Je vais me chercher un magnum, vous voulez quelque chose ?

Rémi est déjà debout. Clémence et

Augustin sont revenus parmi nous.

Je sors mon porte-monnaie.

– Bouge pas, dit Rémi avec fierté, je te l'offre.

– Je vais avec toi !

Augustin se lève et suit Rémi ; les deux fauteuils entre Clémence et moi restent vides. Clémence et Augustin doivent s'aimer vraiment beaucoup pour se faire des baisers si longs en fermant les yeux. Si Rémi pouvait être aussi tendre et amoureux ! J'imagine qu'il me prend dans ses bras, me cajole, me parle tout bas. Devant nous, il y a un couple. Ils ont au moins vingt ans, mais ils s'embrassent et se tiennent par le cou eux aussi. J'espère que ce sera bientôt mon tour.

– Linette ? Tu rêves ?

– Non, non.

– Tu sais, je trouve Augustin de plus en plus amoureux. Pas toi ?

– Si, si !

Je ne sais pas quoi dire de plus. C'est normal que Clémence ait un amoureux, elle est jolie et toujours gaie, elle sait bien se maquiller ; et puis, elle apprend beaucoup de choses dans ses magazines, sur le sport, la musique.

– Chocolat ! Vanille-fraise ! C'est pour qui ?

Le film commence. Augustin a repris Clémence dans ses bras. Je le vois qui lui fait goûter son esquimau. Ce jeu les fait rire, car Augustin éloigne le bâtonnet de la bouche de Clémence dès qu'elle tente de mordre dedans. J'ai l'impression d'être indiscrète à les regarder comme ça.

Je me cale dans mon fauteuil. Rémi est complètement pris par le film. J'approche mon esquimau de sa bouche. Il me regarde, étonné.

– Goûte ! Vanille-fraise, c'est délicieux.

– Non. Ça va, merci.

Il ne lui reste du sien que le bâton, qu'il jette par terre. Sans un regard vers moi, il s'enfonce dans son siège, les deux mains sur le ventre. Confortable. Dommage ! J'aurais bien essayé le partage de l'esquimau, comme Clémence et Augustin. Mais Rémi n'est pas très romantique.

Chapitre 2

Quand nous sortons du cinéma, le soleil de mai clignote entre les branches des marronniers. Après l'obscurité de la salle, il nous aveugle un peu. Clémence et Augustin marchent devant nous, enlacés. Rémi me tient la main distraitement et me raconte les scènes du film comme si je ne l'avais pas vu. Arrivé devant le square, Augustin se tourne vers nous. Ou plutôt vers Rémi :
– On va regarder les boulistes ?

Ce premier week-end de printemps a incité les promeneurs à s'étendre sur les pelouses, à s'asseoir sur les bancs. Les enfants courent dans les allées, jouent au ballon. J'aime bien. Ça fait déjà penser à l'été.

– Je t'offre une gaufre, Linette ?

Clémence me prend la main et m'entraîne.

– Venez ! On va chez la sorcière.

La sorcière, c'est la marchande du kiosque. Quand j'étais petite, j'avais très peur d'elle. Clémence me racontait qu'elle fabriquait ses glaces avec la bave des crapauds du bassin. Elle nous connaît tous, la sorcière, elle nous a vus grandir. Notre école était en face du square et, à la sortie des cours, c'était une volée de garnements qui se précipitait vers elle pour s'acheter des sucreries. L'été, on restait des journées entières à jouer ou à tourner à vélo autour de son kiosque pour la faire enrager ; mais quand il y avait une chute, elle savait consoler avec un bonbon.

– Alors, la petite bande ! On profite du premier soleil ?

– On était au cinéma. On passe vous dire bonjour.

– C'est gentil, Rémi, mais je sais bien que

ce sont mes cornets de glace que tu viens voir.

Rémi a toujours faim, il tripote les biscuits d'un air gourmand :

— Les cornets peut-être pas, mais les galettes, là…

— Tu es assez gros comme ça ! Pauline ne voudra plus de toi si tu continues.

Elle se met à rire, et je trouve qu'elle a vraiment un rire de sorcière. Pour finir, on prend chacun une gaufre couverte de sucre blanc. Les garçons restent à observer une partie de pétanque et ma sœur et moi, on part se promener dans les allées ensoleillées.

Clémence marche en sautillant, elle est légère et heureuse. Elle s'arrête devant un énorme massif de roses :

— Regarde comme c'est beau ! Elles ont toutes les nuances du rouge.

Deux petites filles, installées sur un banc, jouent à la marchande avec des herbes et des cailloux.

— Tu te souviens ? demande Clémence.

— Oui. La sorcière nous donnait des sachets. On rapportait tout à la maison, et maman était furieuse.

– Évidemment ! Tu les mettais sous ton lit, et ça sentait mauvais.

– L'herbe, ça ne sent pas mauvais. C'est parce que, un jour, tu as mis une grenouille du bassin…

– … et tu es allée la remettre à l'eau pour que maman ne la voie pas. Tu crois qu'elle flotte toujours, la grenouille morte ?

À cette idée, nous éclatons de rire.

– Tu étais déjà super béton comme petite sœur !

– Arrête de me rappeler que je suis petite !

– Elle se vexe, Linette ? Allez, souris ! C'est le printemps, tout peut arriver !

Les garçons nous ont rejointes. Augustin prend la taille de Clémence et la fait tourner. Elle tient le bas de sa robe étroite comme si c'était le pan d'une large jupe. Elle se courbe en arrière. Augustin l'entraîne de plus en plus vite. Elle rit.

Des enfants passent à vélo, ils évitent de justesse les danseurs.

Rémi mange sa gaufre. Son autre main est prise par une serviette en papier. C'est dommage, j'aurais bien dansé, moi aussi. Augustin tient maintenant Clémence à bout de bras, il la fait tourner comme une toupie.

Les deux vélos repassent à toute vitesse.
L'un d'eux essaie d'éviter les danseurs,
dérape et part en zigzaguant. Il heurte
Clémence, qui lâche Augustin, tourbillonne
et tombe contre le rebord en béton du
massif.
Le gamin au vélo se relève et file à toute
allure. Clémence hurle. Je me précipite :
– Clémence !
Elle est en larmes et tient sa cheville à deux
mains :
– J'ai mal. Oh ! J'ai mal.
Les garçons arrivent à la relever. Elle crie et
pleure en même temps. Je suis affolée.
Augustin est blanc comme un linge :
– Appuie-toi sur moi. Je vais te ramener.
– Je ne peux pas, j'ai trop mal.
– Aide-moi, Rémi !
Augustin et Rémi soulèvent Clémence et la
portent sur leurs bras entrelacés. Son visage
est contracté par la douleur. Elle fait un
effort énorme pour arrêter de pleurer.
– Ça va ?
Elle hoche la tête doucement et m'adresse
un pauvre sourire. Les garçons ne disent
plus rien. Ils marchent lentement.
Heureusement, la maison n'est pas loin.

Chapitre 3

Clémence a le pied dans le plâtre pour trois semaines. Elle s'est cassé le scaphoïde, un petit os stupide que personne ne se casse jamais. Au début, elle était furieuse; maintenant, elle s'habitue. Maman a eu très peur. Alors, elle s'est un peu énervée:
– Qu'est-ce que tu avais à sauter comme ça? Tu ne sais donc pas rester tranquille?
J'ai voulu prendre la défense de Clémence et rassurer maman. J'ai expliqué que c'était

à cause d'un vélo qu'elle était tombée dans une allée du square.

– Vous n'aviez rien à faire dans ce jardin. Lorsque maman est à son travail, elle préfère nous savoir à la maison. Elle imagine toujours qu'il va nous arriver un accident. Heureusement, papa est rentré de bonne heure. D'habitude, il a toujours trois métros de retard sur tout ce qui se passe chez nous. Je crois même que si on remplaçait le canapé du salon par un hamac, il ne s'en apercevrait qu'au bout de six mois. Mais quand il s'agit de ses filles, il est beaucoup plus attentif. Et ce soir, il a pris notre parti, calmement et avec le sourire :

– N'aurais-tu pas profité du soleil et du printemps, à leur place ? Un petit os cassé, ce n'est pas une catastrophe !

Maman s'est enfin détendue. Papa nous a raconté comment il s'était cassé le bras en faisant du judo sur le trottoir. On connaît l'histoire par cœur, mais il ajoute toujours un nouveau détail. Finalement, la soirée a été très gaie, même maman riait.

Ce matin, je vais au collège toute seule. Clémence est restée à la maison. Elle n'a plus mal au pied, mais elle ne doit pas le poser par terre. Elle est installée près de la télé. Maman lui a acheté une pile de magazines, une pizza, un paquet de céréales et du Coca. Avec tout ça, elle ne devrait pas trop s'ennuyer.

En arrivant dans la cour, j'aperçois Augustin, entouré d'un groupe d'élèves. Il leur raconte l'accident de Clémence. Je m'approche d'eux pour leur dire bonjour. Augustin laisse tomber un « Salut ! » glacial et se tourne vers Rémi comme si je dérangeais. Décidément, il n'est pas plus aimable qu'avant ! Clarisse a l'air inquiet :

– Comment va-t-elle ? Est-ce qu'elle pourra venir à mon anniversaire ?

– Je ne crois pas. Elle n'a pas le droit de marcher pour le moment. Elle va en profiter pour travailler son brevet, ça l'aidera à passer le temps.

Clémence voudrait qu'Augustin lui apporte ses devoirs. Il faut que je lui en parle, qu'il m'écoute. Je fais un pas vers lui :

– Elle demande que tu lui passes tes cours tous les soirs.

– Je ne peux pas. Le soir, je dois prendre mon petit frère à l'étude à six heures, je n'ai pas le temps d'aller la voir.

Rémi a l'air choqué :

— Tu n'iras pas ?

— Bien sûr, j'irai, mais le week-end, c'est tout.

Une petite voix intérieure m'encourage à insister :

— Si tu veux, on se retrouve à cinq heures au foyer, on fera des photocopies.

— Ouais. Cinq heures.

Cette organisation ne l'enchante pas, c'est clair, mais j'ai l'intention de profiter de l'occasion pour tenter d'améliorer nos relations.

— On se verra tous les soirs, comme ça, elle aura les cours dès que je rentrerai.

Il hoche la tête et s'éloigne sans un mot. Mon ton devait être assez impératif.

Chapitre 4

Il est cinq heures. Augustin n'est pas encore là. J'espère qu'il ne sera pas trop en retard, j'ai hâte de rentrer à la maison. Clarisse finit de photocopier ses invitations.

— Pauline ! Tu viendras quand même à ma fête, samedi ?

— Oui, bien sûr !

— Dis à Clémence que je passerai la voir mercredi avec Maëlla et Youssef.

Augustin vient d'entrer, la mine contrariée :
– Tiens, Pauline, voilà les cours. Il y a juste anglais et histoire, le prof de maths était absent et on a eu une interro de français à la place. Tu n'as qu'à faire les photocopies. Mais dépêche-toi, il ne faut pas que je traîne.

Augustin me met les quelques feuilles dans la main, s'assoit à une table et commence à écrire. Pendant que je m'affaire à la photocopieuse, je le vois qui jette de temps en temps un regard dans ma direction. Ostensiblement, je lui tourne le dos et me concentre sur ses copies. Elles sont agréables à regarder. L'écriture est ronde, bien formée, et il souligne avec des fluos de toutes les couleurs. Mon travail terminé, je lui tends la liasse de papiers sans un sourire. Ces coups d'œil à la dérobée m'ont déplu. Je dis :
– J'espère que tu n'as pas perdu trop de temps !

Il se raidit et me tend une feuille de copie pliée en quatre et fermée par du scotch :
– Tu lui donneras ça.
– On se retrouve demain à la même heure, hein ?

– Ça dépend. Qu'elle lise d'abord ma lettre.

D'un geste brusque, il jette son sac sur son épaule et quitte le foyer. Je me demande vraiment ce qu'il me reproche.

Qu'est-ce qu'il y a dans sa lettre ? J'ai envie de l'ouvrir. Sa mauvaise humeur m'est sans doute réservée, mais on ne sait jamais. Clémence est assez mal en point comme ça. Après tout, si c'est pour lui éviter d'autres ennuis…

Je sors du collège et me dirige à grands pas vers le square. Il est aussi beau qu'hier. Je repense à la chute de Clémence, à ma peur quand je l'ai vue par terre, à sa douleur et à son pied plâtré, au souci de maman. Il faut qu'elle se rétablisse vite, qu'on oublie cet accident et qu'on profite de ce beau printemps toutes les deux, ensemble. Je suis un peu orpheline, sans ma sœur.

Des jeunes sont assis autour du bassin. Les garçons ont les pieds dans l'eau. Je reconnais Youssef et Maëlla. Il ne faut pas qu'ils me voient. Je quitte l'allée centrale et prends le petit chemin à l'opposé, entre les buissons d'acacias. En passant devant le kiosque, j'entends la sorcière m'interpeller.

– Oh ! Pauline ! Tu cours, on dirait une voleuse ! Comment va Clémence ?

– Bien, bien. Elle a le pied cassé, mais ça va.

– Je sais. Rémi est passé ce matin. Tiens, tu donneras ça à ta sœur, de la part de la sorcière.

Elle me tend un paquet de caramels et éclate de rire. Décidément, son rire me mettra toujours mal à l'aise.

Je me dirige vers un banc isolé. D'immenses iris jaunes et bleus me cachent des regards. Je sors la lettre de mon sac, décolle délicatement le scotch. Mes mains tremblent. Je me répète que c'est pour le bien de Clémence. Pourtant, une petite voix me dit qu'Augustin est incapable de lui faire du mal. Alors, pourquoi ai-je besoin de lire ce courrier ? La feuille est devant moi, dépliée. L'écriture est belle, régulière. J'imagine la main d'Augustin traçant ces lignes.

« *Ma Clémence,*

Si tu savais comme je m'en veux de ce qui t'est arrivé. Je suis sûr que c'est de ma faute. Je n'ai pas su te tenir assez fort. Quand j'ai vu le vélo, j'ai cru qu'il pouvait nous éviter. Si seulement c'était moi qui étais tombé !»

Je me sens rougir comme une tomate. Je n'aurais jamais dû ouvrir cette lettre. J'ai terriblement honte. Pourtant quelque chose me pousse à continuer.

«J'aimerais pouvoir venir te voir tous les jours, mais malheureusement, je dois prendre Julien. Je viendrai samedi.

J'ai hâte que tu sois de nouveau dans mes bras.

Je t'embrasse fort comme je t'aime.

Augustin.

P.S. Pour les cours, ce n'est pas la peine que ta petite sœur les prenne tous les jours, je te les apporterai le samedi. »

Ta petite sœur ! Pour qui il se prend, Augustin ! Je ne suis pas beaucoup plus jeune que lui ! Furieuse, je replie la lettre sans remettre le scotch. Je vais la porter à Clémence et tant pis si elle est fâchée parce que je l'ai ouverte ! Finalement, j'ai drôlement bien fait. Maintenant, je sais à quoi m'en tenir.

Chapitre 5

– Pauline? C'est toi?
– Bien sûr que c'est moi!
Je claque la porte et entre dans le living.
Clémence est assise sur le canapé, la jambe
posée sur un tabouret. Des morceaux de
papier jonchent le sol. Elle est tout excitée:
– Il faut que je te montre quelque chose.
Regarde, j'ai inventé un truc super!
Des magazines lacérés, des images décou-
pées et collées sont étalés autour d'elle.

– Tu vois, je fais mon propre journal. Ma collection, en quelque sorte. Je choisis un pantalon là, un T-shirt ici, des chaussures, je redessine même les maquillages. Regarde celle-là !

C'est un peu de travers, mais l'ensemble est sympa.

– Beaucoup plus cool, tu ne trouves pas ?

Je prends son ton pointu :

– Tu veux que je te dise ? Eh bien, ma chère, c'est fuuurieusement tendance !

Je m'assieds sur le canapé, à côté d'elle, et on éclate de rire.

– Qu'est-ce que c'est que ce fouillis ? Mais ça ne va pas, les filles !

Maman vient de rentrer. On riait tellement fort qu'on ne l'a pas entendue.

– Enfin, j'aime mieux ça !

Maman hésite à poser son sac sur la table encombrée de papiers et de nourriture.

– Dis-moi, Clémence, la journée n'a pas été trop longue, à ce que je vois ?

Je regarde ma sœur, et nous avons du mal à garder notre sérieux.

Maman aussi a envie de rire, ça se voit à ses yeux. Elle réussit pourtant à rester digne :

– Bon ! Pauline, tu ranges tout ça ! Et toi,

Clémence, à t'entendre si gaie, je pense que tu n'as plus du tout mal au pied ?

Elle ponctue sa phrase d'un baiser sur nos joues.

— Papa rentre tard, il aura dîné. Je propose un plateau télé entre filles. Ça vous va ?

Quand papa et maman sont là tous les deux, c'est toujours un peu la fête. Mais quand on est seules avec l'un d'entre eux, ce n'est pas mal non plus. Invariablement, papa lance : «Et si on se faisait un petit restau ?» Et maman : «Je propose un plateau télé entre filles.»

J'adore ces soirées avec maman. Papa n'aime pas qu'on papote quand on regarde la télévision. Seulement, aucune de nous trois ne sait se taire. On commente, on rit, on critique. Ça l'agace toujours. Alors, quand il n'est pas là, on en profite. On se moque des héros, on donne notre avis sur l'histoire. En général, ça se termine par de tels fous rires qu'on ne sait même plus de quoi il s'agit. Et maman n'est pas la dernière à raconter des bêtises.

Elle va préparer le dîner, et je commence à ranger en prenant soin de bien protéger les découpages.

– Mets-les dans mon tiroir, me conseille Clémence. Je continuerai demain.

Je suis assise par terre en train de ramasser les papiers, Clémence se penche vers moi, elle me regarde en louchant.

– Il y a *X files* sur la 6. Peut-être que, pour une fois, maman sera d'accord pour voir les monstres d'une autre galaxie.

Ses lèvres se tordent en un horrible rictus, ses mains crochues menacent mon visage.

– À moins qu'ils ne soient comme ça, les extraterrestres, regarde !

Et c'est à mon tour de mimer : accroupie par terre, je saute dans tous les sens en poussant des cris stridents. Je me roule sur le tapis. Clémence pleure de rire quand maman arrive avec le plateau :

– Pauline ! Tu te prends pour Chita ? Clémence ne ressemble pas vraiment à Tarzan en ce moment. Allez ! Un peu de calme, les filles !

Je pousse encore deux ou trois cris et me relève. Clémence pointe le doigt vers mes pieds :

– Tu as perdu un papier.

Le carré blanc de la lettre d'Augustin est là, sur la moquette. Je n'ai plus du tout envie de m'amuser. Augustin, les devoirs ; j'avais complètement oublié. Je me baisse et ramasse la feuille. Heureusement, elle est pliée, et l'écriture est invisible.

Chapitre 6

J'ai été stupide. J'ai remis la lettre dans ma poche comme si j'avais été prise en faute. J'aurais dû la donner tout de suite à Clémence. Comment faire maintenant? Je suis allongée dans mon lit sans pouvoir dormir. Cette histoire de lettre me tracasse. Je ne veux pas mentir à ma sœur. Si je ne la lui montre que demain, peut-être qu'elle ne la reconnaîtra pas. Je suis vraiment contra-riée. Par mon geste, mais aussi par l'attitude d'Augustin. Je viens de relire son mot. Ce n'est pas à lui de décider si Clémence veut travailler tous les jours, ou une fois par semaine. Et puis, cette façon méprisante de m'appeler «la petite sœur» ne me le rend pas sympathique, vraiment pas !

Je perçois des grattements derrière le mur. C'est Clémence. Qu'est-ce que je vais lui dire ?

Depuis toujours, Clémence vient me rejoindre dans mon lit avant de dormir. Quand j'étais petite, elle me racontait des histoires ; maintenant elle me parle des garçons ou des profs du collège que j'aurai peut-être l'année prochaine. Les grattements deviennent des coups légers. Je saute du lit et sors doucement sur le palier. La télévision ronronne dans la chambre des parents. J'entre à pas de loup chez Clémence.

– Ah, te voilà ! Je croyais que tu étais devenue sourde !

Elle écarte la couette et m'invite à me glisser à côté d'elle. Je sens le plâtre dur contre ma jambe. Elle prend une grosse voix avec un horrible accent et roule les R.

– Je suis le capitaine Jambe-de-Bois. T'as

une drrrôle de tête, ma petite fille !
Aurrrais-tu quequ'chose à m'dirrre avant
de monter sur mon navirrre ?
Je me demande si elle n'a pas compris que
je lui cache la lettre d'Augustin. Je me
force à rire.
Elle reprend d'une voix normale.
— Tu as vu mon amoureux, aujourd'hui ? Il
t'a donné les cours ?
Voilà. J'étais sûre qu'elle savait. Je n'ai
plus le choix. Elle me regarde avec tellement d'insistance.
— Oui, oui. Les cours et puis… et puis un
mot pour toi.
— Ouaah ! Donne ! Donne vite, Linette !
Je retourne dans ma chambre chercher les
photocopies et la lettre. Mon cœur bat très
vite. Vais-je lui dire que je l'ai lue ?
Non. J'entre en coup de vent dans le bureau
de papa, prends une enveloppe dans le tiroir
et glisse le mot d'Augustin dedans.
Quand je reviens, Clémence est assise toute
droite dans son lit :
— Fais voir ! Vite !
Je lui tends ensemble les cours et l'enveloppe. Elle jette les photocopies par terre et
ouvre l'enveloppe. Elle sourit en lisant :

– Ben dis donc !

Elle me tend le papier :

– Lis !

Je parcours l'écriture d'Augustin en prenant un air attentif, mais je n'arrive pas à lire un seul mot. Je lui rends la lettre.

– Il est fou de moi, non ?

– Oui. Mais tu as vu comment il m'appelle ? « La petite sœur ! »

– Et alors ? Tu n'es pas plus jeune que moi ?

– Si. Mais « petite », c'est pas sympa !

Je suis tout à coup terriblement triste. Je ne sais pas pourquoi. J'ai envie de bouder. Je me mets en boule à côté de Clémence. Elle tape de son plâtre contre mes jambes pliées.

– Oh ! Pauline ! Tu n'es ni petite, ni grande, tu es née après moi, c'est tout. Allez !! Il n'a pas voulu être méchant, Augustin !

Je ne bouge toujours pas.

– Moi, je sais pourquoi tu fais la tête. Tu voudrais bien que Rémi t'écrive des : « Je t'embrasse fort comme je t'aime. » Ça viendra. Il est un peu timide, mais il t'aime.

Je hausse imperceptiblement les épaules. Je ne pense pas qu'il m'aime vraiment, Rémi, mais c'est vrai, ça me plairait bien de recevoir une lettre comme ça, un jour. Une vraie lettre d'amour.

Clémence ne dit plus rien. Nous pensons sans doute à la même chose, ça arrive souvent. Allongées toutes les deux, comme des petites cuillers dans un écrin, la communication s'établit par transmission de pensée.

— Tu veux que je te prête mon blouson en jean pour la soirée de Clarisse?

— Et la chemise bleue?

— Tu vois, tu n'es plus triste! C'était juste un test.

— Quoi? Tu refuses de me la prêter?

— Mais non, Linette, bien sûr! Je veux que tu arrêtes de bouder, c'est tout. Tu me raconteras? La fête, la robe de Clarisse, les copains, tout, hein?

— Je te promets.

Il est temps que je retourne me coucher. J'embrasse Clémence et arrange sa couette, qui s'accroche au plâtre.

— Tu vois, c'est toi ma grande sœur, en ce moment.

Je suis déjà à la porte.

— Eh! Pauline! Tu prendras mes cours tous les jours. Je n'ai pas envie de me retrouver avec des tonnes de devoirs en retard.

– Mais Augustin ne veut plus !

– T'inquiète pas. Je lui téléphonerai demain matin. S'il se sent vraiment responsable de mon accident, il va me rendre ce service.

Je n'ai pas envie de voir Augustin tous les soirs. Ça doit se lire sur mon visage, car Clémence demande :

– Ça t'ennuie, à cause de « la petite » ?

– Oh ! Non ! Pas du tout. Mais, tu sais, on ne s'aime pas trop, Augustin et moi. Enfin, on fera un effort.

Chapitre 7

Je suis un peu en retard, ce matin. Maman n'avait pas le temps de s'occuper de Clémence, j'ai dû l'aider à se lever. Elle a appelé Augustin, j'espère qu'il ne sera pas trop furieux !
Rémi m'attend dans le hall de l'immeuble, il a mis un sweat jaune et vert sur un pantalon bleu. Il porte une casquette blanche. On dirait un arc-en-ciel. Je me demande parfois si Clémence ne devrait pas prendre son look en main.
– Salut, Pauline.
Il m'embrasse rapidement sur les deux joues. L'une reçoit la visière de la cas-

quette, l'autre les lunettes. Quelle tendresse ! Mais son sourire et ses fossettes me font toujours plaisir.

– Tu m'attendais ?

– J'avais envie d'aller au bahut avec toi.

– On n'est pas en avance, tu sais.

– Tu n'as pas l'air de bonne humeur ! Tu n'es pas contente de me voir ?

Pauvre Rémi, je marche tellement vite qu'il a du mal à me suivre. Je ralentis.

– Mais si, bien sûr. Mais je n'aime pas arriver après la sonnerie, et puis, j'ai hâte que la journée soit finie.

– Tu es bizarre, aujourd'hui. Qu'est-ce qui t'arrive ?

Je m'arrête net. Rémi, emporté par son élan, fait deux pas de plus.

– Écoute, Rémi. Veux-tu me rendre un grand service ?

Il se retourne, surpris :

– Oui. Bien sûr.

– Voilà. J'ai rendez-vous avec Augustin à cinq heures au foyer pour photocopier les cours de Clémence. Seulement, Augustin m'agace. En fait, on ne s'entend pas tellement, lui et moi.

Il me jette un regard étonné :

– Ah bon ! Mais ne t'énerve pas comme ça.

– Je ne m'énerve pas. Alors, voilà, tu vas y aller à ma place. Moi, je t'attendrai dans le square.

Rémi est très embarrassé :

– Il ne va pas comprendre.

– Si, si. Il sera même soulagé de ne pas me voir. Je t'assure.

– Écoute, Pauline, je voudrais bien te rendre service, mais Augustin est mon ami. C'est avec toi qu'il a rendez-vous, et je n'ai pas envie de me fâcher avec lui.

– Mais puisque je te dis qu'il sera soulagé !

Rémi s'éloigne de quelques pas, il réfléchit. Pourvu qu'il accepte ! Finalement, il revient vers moi, d'un air décidé :

– Je ne peux pas, Pauline. C'est un copain. Tu comprends ?

– Ça va. Je comprends. Merci quand même.

Je le plante au milieu du trottoir et pars en courant. Non seulement je suis obligée de voir Augustin à cinq heures, mais, en plus, je vais être en retard.

Les idées se bousculent dans ma tête. J'irai au rendez-vous avec Augustin, et j'aime mieux ça. Pourquoi ? Je n'ai pas envie d'être avec lui, et en même temps j'ai presque hâte d'être à ce soir. Pourtant il m'intimide. Et s'il était désagréable avec moi pour la même raison ?

La sonnerie du collège ! Il faut vraiment que je me dépêche.

Chapitre 8

La journée a vite passé. Maëlla et moi avons aidé Clarisse à organiser sa fête. Je crois que ça sera vraiment réussi. Les élèves du club de musique ont accepté de venir. C'est dommage que Clémence ne puisse pas être là, elle qui adore danser ! Rémi a fait comme si je ne lui avais rien demandé ce matin. Je suis sûre qu'il n'en a pas dit un mot à Augustin. C'est quelqu'un de bien, Rémi. Je réfléchis à tout ça en me dirigeant vers le foyer. Il est déjà cinq heures dix. On a eu du mal à tomber d'accord avec les copines pour le cadeau de Clarisse. Maëlla m'a retardée avec une histoire de robe à fleurs. Ça ne va pas mettre Augustin de bonne humeur. Tant pis !

Rémi et Augustin commentent les derniers préparatifs de la fête de samedi avec d'autres élèves. L'ambiance est détendue. En me voyant entrer, Augustin quitte les autres, pose ses cours sur la photocopieuse sans un mot et rejoint le groupe.

La discussion se termine ; les uns s'en vont, les autres commencent à travailler.

Augustin est à côté de moi, il s'impatiente.

– Ça va ! Je me dépêche.

Rémi s'approche. Ses yeux noisette lancent des éclairs espiègles :

– Prends ton temps, Pauline, on va faire un baby-foot tous les deux. Tu viens, Augustin ?

Il est vraiment cool, Rémi. Il a trouvé le moyen de ne pas se fâcher avec son pote tout en me rendant service. Il n'est peut-être pas l'amoureux dont je rêve, mais c'est un super copain.

J'ai fini mes photocopies. Je vais rendre les feuilles à Augustin, qui est en train de jouer :

– Tiens. Je te remercie.

Je suis plantée à côté de lui. Il ne me répond

pas. J'insiste :
– J'ai fini, Augustin.
– J'ai vu. Tu me gênes, là !
– D'accord, d'accord !
Je dépose les feuilles sur une table et sors du foyer.
Je me sens très seule. Je ne supporte pas l'agressivité d'Augustin. Et dire que je pensais ce matin qu'il était peut-être mal à l'aise avec moi ! J'imagine vraiment n'importe quoi ! Et, d'ailleurs, pourquoi serait-il mal à l'aise ? Je suis « la petite », non ? Je sors du collège en larmes.

Chapitre 9

Évidemment, mes pas me mènent vers le jardin. Je me laisse tomber sur un banc à l'écart et pleure à gros sanglots. J'ai le sentiment d'être rejetée par tout le monde, agressée, mal aimée, mon cœur se vide avec mes larmes. Je suis toute seule. Et ma sœur ne peut rien pour moi.

Il y a un biscuit écrasé par terre. Une famille de pigeons est en train de se partager les miettes. Ils sont juste à mes pieds, vont et viennent tout près, sans se préoccuper de ma présence. Pourtant, en les regardant, je me sens subitement moins seule. J'ai envie de leur donner quelque chose. Je fouille dans mon sac, et je tombe sur les caramels que la sorcière m'avait donnés pour Clémence. Machinalement, j'ouvre le paquet et commence à les manger.

Je me dis que ma sœur m'attend avec impatience, que maman doit se demander pourquoi je ne suis pas encore rentrée, que demain Augustin sera de nouveau désagréable, et je recommence à pleurer.

— Pourquoi tu pleures? Tu me donnes un bonbon?

Une petite fille se tient devant moi, elle a une robe d'été à pois de toutes les couleurs, elle me sourit gentiment. J'essaie de sécher mes larmes.

— T'attends ton amoureux?

— Non, non.

— T'as pas d'amoureux?

Sa voix est insistante. Je lui tends un caramel.

— Tu m'en donnes un pour ma sœur?

Elle attrape le dernier et part en courant

vers une autre petite fille vêtue de la même robe. Je pense à Clémence, à moi, aux tenues identiques que maman nous achetait quand nous étions petites.

Mon paquet de bonbons est vide. Je suis vraiment nulle. Ma pauvre Clémence, j'ai tout mangé. Il faut que je retourne en chercher un autre chez la sorcière.

Il y a beaucoup d'enfants autour du kiosque. Une gamine me dévisage avec des grands yeux étonnés. On doit voir que j'ai pleuré. La sorcière distribue ses gâteries, et les enfants s'éloignent.

– Pauline ? T'as une p'tite mine ! Viens donc par là.

Elle ouvre la porte du kiosque et me fait entrer.

– Tiens, assieds-toi sur mon vieux tabouret. T'as pleuré, ma p'tiote. Faut pas. T'es trop jeune pour ça, trop jolie.

D'autres enfants se groupent devant l'étalage, réclamant glaces et gâteaux.

Je regarde la sorcière s'occuper d'eux, elle les appelle tous par leur prénom, elle a un mot gentil pour chacun. Je repense au temps où nous avions leur âge. Clémence me traînait vers le kiosque, me rassurant après m'avoir fait peur. Elle m'affirmait qu'elle connaissait des tours de fée pour déjouer les mauvais sorts de sorcière. On finissait par rire. C'est là que sont nés nos fous rires. Ma confiance en elle surmontait mon angoisse.

– Qu'est-ce que je peux pour toi, Pauline ?

La sorcière est debout devant moi, son gros ventre moulé dans un jean sans forme, ses mains croisées sur son opulente poitrine. Elle ressemble à un bon géant. Un large sourire écarte ses joues rondes et rouges comme des pommes. Tout à coup, j'ai envie de me blottir dans ses bras.

– Je voudrais des caramels, pour Clémence.

Ma voix tremble, je sens les larmes revenir.

– Tu te fais bien du souci pour ta sœur ! Dans peu de temps elle sera remise, elle dansera.

Elle se tourne vers l'étalage et me tend un sachet de bonbons.

– Tu verras, à ton âge il y a plus de bonnes surprises que de mauvaises. Sois patiente. L'humeur des garçons est changeante.

Sa main caresse ma joue.

– Ça va aller, je le sens. Tu sais bien que je

suis une sorcière! Je connais des trucs.
Elle fait un moulinet au-dessus de ma tête
avec sa main et se met à rire :
– Tiens, prends cette bille. Elle te portera
chance !
Je me lève, une bille bleue brille dans ma
main. Je ne sais pas ce qu'il faut croire. Je
sors. La sorcière est sur le seuil. Elle me
fait un signe et referme la porte.
Je marche dans les allées. Les enfants sont
partis. Quelques couples regardent le soleil
se coucher. Les lumières du square deviennent blanches. Je me répète les paroles de la
sorcière et serre la bille bleue dans ma
main. Il est temps que je rentre.

Chapitre 10

Papa est dans la cuisine. Je l'entends qui sifflote. Maman vient à ma rencontre :
– Tu as vu l'heure, Pauline ?
– Excuse-moi, Maman. Je…
– Je n'aime pas que tu traînes, tu le sais bien. Ne recommence pas. Allez, va voir ta sœur, elle t'attend avec impatience.
Quand maman fait des remarques sans se fâcher, on a envie de lui obéir tout de suite. Je l'embrasse.
Clémence est installée sur le canapé, le walkman sur les oreilles. Elle remue la tête en rythme, les yeux mi-clos. Elle porte le top blanc du magazine. Je m'approche tout

doucement et écarte le casque de son oreille.

— Où tu étais passée ? J'ai cru qu'Augustin t'avait enlevée !

— Non. C'est la sorcière.

Je lui montre la bille :

— Regarde !

— Ben ? C'est une bille. Un calot, même.

— Et un calot, ça vaut deux billes ! ajoute papa, qui vient d'entrer.

Il continue :

— Deux calots, ça vaut un boulet, les filles. Je vais vous apprendre à jouer aux billes, un jour. J'étais champion, moi.

Maman pénètre dans la pièce avec une démarche de mannequin. Ses pieds sont chaussés d'escarpins vernis à talons :

— Regardez ! Votre père a fait des folies. On se croirait à Noël !

Elle lève la jambe et remue la cheville pour exhiber ses nouveaux souliers.

Un seul cri sort de nos bouches :

— Ouaah !

— On se calme ! Je ne vous les prêterai pas, les filles !

Papa me tend un paquet. Clémence est tout excitée.

– C'est pour toi. Regarde, vite !
J'adore quand papa fait des surprises. Comme il a toujours peur de se tromper, il nous interroge avant, discrètement... Pourvu que Clémence ait pensé à lui parler du modèle que j'ai vu dans *Miss* ! J'ouvre le sachet et déplie le top à zip gris à paillettes. Je saute au cou de papa. J'embrasse Clémence. Maman est dans les bras de papa. C'est la fête !
– Bon ! C'est pas tout ça, les filles. J'ai faim, moi !
Quand papa est ému, il faut qu'il bouge.
– C'est vraiment toi qui prépares le dîner ? se moque maman.
– Bien sûr ! C'est la journée de la femme, non ?
Il embrasse maman encore une fois et repart vers la cuisine. Il fait des va-et-vient entre la salle et ses fourneaux. Maman met de la musique. J'essaie le cadeau de papa devant Clémence, admirative :
– Hoah ! Fuuurieusement tendance, quoi !
– Tu es sûre ? Alors, je ne ressemble pas à un caniche à écailles ?
– Mais non ! Tu es très bien. Mais c'est moi qui te maquillerai pour demain soir.

Mon chagrin s'est envolé. J'ai retrouvé ma sœur, mes parents, ma maison, mon calme.
– Tiens, j'ai un cadeau pour toi, moi aussi. C'est de la part de la sorcière.
Je lui donne les caramels.
– Et la bille?
– Elle va me porter chance.
– Attention, Pauline! Cette sorcière est vraiment sorcière!
On éclate de rire, et je me demande si je ne crois pas un peu à la sorcellerie.

Chapitre 11

C'est le jour de la fête de Clarisse, et Rémi vient me chercher dans une heure. Clémence m'a prêté sa mini-jupe blanche, taille basse. Elle est en train de me maquiller en s'inspirant d'une page de *Cosmo* qui vante les couleurs beige-rose de l'été.

– Un teint transparent et une bouche rosée. Rémi va craquer, c'est clair!

Elle s'applique, ma Clémence. Elle fouille

dans ses blushs, ses fards, ses gloss, hésite sur l'ombre à paupières : beige doré ou sable satiné ? Je me laisse faire, confiante. Elle est la reine du look, et je sais que je sortirai de ses mains prête à poser pour le prochain *J & J*, dans la rubrique *Top beauté*.

Je me regarde dans le miroir en pied de la chambre de Clémence. Le cadeau de papa me va parfaitement, il arrive juste au-dessus du nombril, à quelques centimètres du haut de la jupe. C'est vraiment génial ! Et le zip à l'épaule, c'est le plus !

– Tu es super, Linette ! Je suis ravie ! Je n'ai jamais réussi un maquillage comme ça ! Je fais des progrès.

– Tu as vu le top modèle que tu as, aussi ?

Je prends une pose star, la mèche sur l'œil, le sourire câlin. On sonne. C'est drôle, je n'ai plus envie d'aller à cette fête. Je veux rester avec Clémence, toute la soirée. Elle le sent et me pousse légèrement.

– Allez ! Vas-y ! Il t'attend. Et tu me racontes tout, hein ?

Je m'approche pour lui faire un baiser.

– Attention ! Ton rouge !

– Il est beige, mon rouge, et puis, si je ne

peux plus embrasser personne !

Je vais ouvrir à Rémi. Il est perdu dans un énorme sweat rouge barré d'une virgule blanche. On dirait qu'il part à un match de basket. Il m'examine des pieds à la tête, très impressionné. Son trouble m'amuse :

— Va vite dire bonjour à Clémence, et on y va !

Il entre dans la chambre sans me quitter des yeux, il est rose jusqu'aux oreilles.

— Regarde où tu marches ! lui crie Clémence de son fauteuil. Tu vas te prendre les pieds dans le tapis !

J'ai envie de rire, mais ce ne serait pas gentil. Il se penche pour embrasser Clémence.

— Elle est trop, ma sœur ! Tu ne trouves pas ?

Je sens que Clémence est au bord du fou rire. Rémi hoche la tête, il peut à peine articuler :

— Si, si !

— Amusez-vous bien ! Moi je reste avec Lara Croft, on va tenter le niveau trois.

Rémi m'a prise par la main, il m'entraîne vers la porte. Clémence nous regarde partir. J'espère qu'elle n'est pas trop triste de ne pas pouvoir venir. Dans ma poche, je sens la bille bleue.

Pendant tout le trajet, Rémi me tient la main. Silencieux. Il ne s'en remet pas, le pauvre !

On arrive sur le palier. La musique est tellement forte qu'on se demande si Clarisse va entendre la sonnette. La porte s'ouvre enfin. J'entends à peine les paroles de Clarisse, tant la techno est à fond. J'aime bien ça. Il est vraiment super, le club de musique du collège ! Je connais à peu près tout le monde. J'aperçois Augustin, il fait goûter un biscuit à Maude. Ils ont l'air de bien s'entendre, tous les deux. Ça, je ne le dirai pas à Clémence !

Clarisse m'entraîne dans la cuisine :

– Viens m'aider, il n'y a plus assez de boissons !

En passant dans le couloir, on croise un type très classe, en costume gris, T-shirt blanc. Ses yeux noirs me fixent longuement ; je dois rougir.

– Ouah ! Tu lui as tapé dans l'œil ! s'exclame Clarisse.

– Qui c'est ? Je ne le connais pas.

– C'est Alex, un copain de mon frère. Il est

venu le chercher, ils vont à un concert, je ne sais pas où. Je ne l'aime pas beaucoup. Il est bizarre.

Elle me tend des bouteilles de Coca.

– Qu'est-ce qu'il a de bizarre ?

– Je ne sais pas. Sa façon de regarder les filles. Moi, ça me met mal à l'aise. De toute façon, il est trop vieux pour nous !

Je retourne dans la salle. Youssef s'approche de moi, accompagné d'Alex :

– T'es vachement glamour, Pauline ! On dirait une nana de pub.

Alex me regarde avec insistance. Je ne réponds pas à Youssef, détourne les yeux et cherche Rémi du regard. Clémence a peut-être eu la main un peu lourde sur le fard. À la maison, j'étais fière, mais ici, au milieu des autres, je me sens gourde. Les filles sont moins maquillées que moi. Je n'aime pas me faire remarquer.

Pour échapper au regard d'Alex, je vais danser avec Rémi. C'est un cas, Rémi. Dans la vie de tous les jours, il est complètement pataud, ses gestes sont gauches ; mais quand il est sur un terrain de basket ou quand il danse, il devient léger, presque gracieux. J'aime bien l'observer. À côté de nous, Augustin danse avec Clarisse. Il n'arrête pas de me regarder, je n'y comprends rien. Quand je suis arrivée, il ne m'a même pas dit bonjour, pas un mot. Et maintenant il me dévisage comme s'il ne m'avait jamais vue. Quand je pense que, lundi, il faudra que je le retrouve au foyer ! Je détourne les yeux et croise le regard d'Alex. Il a vraiment beaucoup de charme. Je sens la bille bleue dans la poche de ma jupe, elle cogne au rythme de mes pas. Et si c'était Alex, le coup de foudre ? La sorcière a dit quelque chose sur les garçons, je ne sais plus quoi. Peut-être qu'Alex est subitement tombé amoureux de moi ? Je le regarde droit dans les yeux, j'aperçois l'ombre d'un sourire.

Les musiciens du club de musique se mettent à jouer un slow. Rémi me propose de boire quelque chose. Il déteste les danses lentes, il lui faut de l'action. Pour le moment, il est en train de s'empiffrer de gâteaux.

Les lumières sont tamisées. Alex danse avec une fille du lycée, sans doute la copine de Marc, le frère de Clarisse.

Maëlla a mis sa robe à fleurs qui fait un peu plage. Je me demande ce qu'en penserait Clémence.

Les musiciens attaquent un deuxième slow. Un bras fort me prend par la taille. Alex m'attire contre lui, sans un mot. J'ai le cœur qui bat très vite. Je sens sa main contre mon dos nu, entre la jupe et le débardeur. Je ne sais pas si j'aime ça. Si c'était Rémi, je trouverais ce geste normal. Il danse très bien, Alex. C'est peut-être parce qu'il est trop ému qu'il ne dit rien. Il paraît que le coup de foudre rend muet.

J'aperçois Augustin, assis dans la pénombre, un verre à la main. Il ne nous quitte pas des yeux.

Quand la musique s'arrête, Alex garde ma main dans la sienne, très longtemps, et me fixe tellement intensément que je rougis.

— Tu es très sensuelle, Pauline, murmure-t-il d'une voix chaude.

Alors là, je crois que je deviens carrément écarlate. J'ai l'impression qu'il est dans un film, et qu'il vient de parler à Demi Moore. Je suis prête à parier qu'elle est derrière moi. Pourtant il a bien dit: Pauline. Mes jambes tremblent. Alex a un sourire inquiétant. Je rêvais à l'amour, moi, pas à autre chose.

Heureusement, les musiciens entament un morceau de Venga Boys. Un peu nul, mais ça déménage. Rémi ne peut pas résister, il m'attrape la main en passant à ma hauteur et se met à danser. Je suis soulagée. Alex disparaît au milieu des autres.

La phrase d'Alex me résonne aux oreilles. Je danse comme un automate. Je sens la colère monter. Pour qui se prend-il, ce type ? Moi qui croyais que le coup de foudre était arrivé. J'ai la sensation d'avoir été agressée, pire, trahie. Je me suis fait avoir en quelque sorte. Je suis vraiment une cruche !

Rémi tourne et saute, il agite les bras dans tous les sens, je n'arrive plus à le suivre. J'abandonne, qu'il continue seul ! Comme si elle n'attendait que cela, Maëlla prend ma place. Les autres viennent se grouper autour d'eux. Ils font le spectacle, et tout le monde applaudit en rythme. Seuls Youssef et Augustin sont restés assis. Youssef ne semble pas approuver le comportement de Maëlla.

Enfin le morceau se termine. Maëlla saute au cou de Rémi. Ils sont en nage et rouges de plaisir. Épuisés, ils se laissent tomber tous les deux sur le canapé en riant. Je me retrouve toute seule, devant le buffet, oubliée.

La musique a repris, plus calme. Les couples de danseurs se forment. Maëlla et Rémi sont tendrement enlacés. Elle ne manque pas d'air, Maëlla ! Elle sait bien que Rémi sort avec moi. Je me demande si je ne vais pas vers une nouvelle déception. Augustin et Youssef sont toujours assis. Ils ne bavardent plus et regardent les danseurs. Augustin semble perdu dans ses pensées. Youssef jette des coups d'œil furieux vers Maëlla. Si moi, je risque la déception, Maëlla court à la rupture !

Et puis j'en ai assez ! Je vais quitter cette fête. Je me retourne vers Clarisse pour lui dire au revoir, mais Alex est devant moi. Il me prend par le bras avec autorité et m'entraîne dans le couloir. Les autres sont occupés à danser, la musique est forte. Alex m'appuie contre le mur et cherche à m'embrasser. Je suis prise de dégoût. Je veux m'échapper. Il me tient serrée, il me fait mal. Je crie : « Arrête ! », mais il continue. Ses lèvres se posent sur les miennes et, instinctivement, ma main vient frapper sa joue avec violence.

Je le tape aussi fort que je peux. Il rit et presse son corps contre le mien pour m'empêcher de bouger. Je donne des coups de pied. J'ai envie de vomir, de hurler. J'ai peur.

Tout à coup, Alex est projeté par terre. Augustin le relève par le revers de sa veste. Son poing est menaçant :

– Tu lui fous la paix. Compris ?

– De quoi tu te mêles ? C'est pas ta meuf !

Le poing d'Augustin arrive, tel un éclair, sur le nez d'Alex, qui titube et porte la main à son visage. Il saigne :

– Merde ! T'es con !

Les danseurs se sont arrêtés. Ils sont massés dans le couloir. Augustin me prend par la main :

– Viens ! On se tire !

Je tremble de tout mon corps. Le souvenir des lèvres d'Alex sur les miennes et de la pression de son corps me dégoûte. Je me sens salie. Au passage, j'entrevois les visages de Clarisse, de Maëlla, de Youssef, de Rémi. Ils nous dévisagent avec des regards stupides. Je suis Augustin sans réfléchir.

Chapitre 12

Dans la rue, Augustin me soutient fermement :
– Ça va aller ?
Il a l'air inquiet. Il marche vite. Je m'accroche à lui. J'ai la tête qui tourne. Qu'est-ce qui s'est passé ? Des images défilent devant mes yeux. Alex, les danseurs. La musique m'assourdit encore. J'ai l'impression d'être devenue muette.
Je m'arrête et m'appuie contre le rebord

d'une fenêtre. Augustin est devant moi. Je le reconnais à peine. D'un geste doux, sa main écarte les cheveux de mes yeux. Il me caresse la joue. Je tremble comme une feuille au vent.

– C'est fini, p'tite Pauline, c'est fini.

Sa voix est chaude, rassurante :

– Viens. Je te ramène.

Peu de voitures dans la rue. Pas un bus. Il doit être très tard. Nous marchons en silence. Les réverbères éclairent le trottoir d'une lumière blanche. La lune donne au ciel une couleur bleu foncé. Nos pas résonnent sur l'asphalte encore chaud. La nuit est douce, apaisante. Le chemin n'est pas long jusque chez moi. Je ne pense plus à rien. Augustin a passé son bras autour de ma taille. Il me tient serrée, comme si je risquais de tomber.

Peu à peu, les événements reprennent leur place dans ma tête. Alex, son agression dans le couloir étroit. Le coup de poing d'Augustin. Rémi qui danse avec Maëlla. Comme s'il suivait le cours de ma pensée, Augustin me serre plus fort. J'ai envie de lui demander pourquoi il a fait ça. Mais j'hésite à rompre le silence complice qui nous enveloppe. On est arrivé en bas de l'immeuble.

— Tu peux me laisser là, si tu veux.

Ma voix ne m'appartient pas, elle est lointaine et hésitante. Augustin me sourit :

— Il n'en est pas question.

Il m'aide à monter l'escalier. Devant ma porte, on se regarde sans rien dire. Augustin caresse doucement mes cheveux. Son visage est tout près du mien. Sa voix est basse, tendre :

— Ne pense plus à tout cela. C'est un mauvais rêve.

Il dépose un baiser délicat sur ma joue, puis redescend. J'entre dans l'appartement silencieux. Le salon baigne dans une lumière étrange, venue de la rue. Le ciel de Paris est très clair, les nuits de printemps, je n'ai même pas besoin d'allumer. Les meubles prennent des teintes étranges, bleues, noires, argentées. Je n'ai pas envie de me coucher. Je vais à la fenêtre. Un rayon de lune se reflète sur les toits luisants. Je voudrais être encore dehors, au bras d'Augustin. L'air de la nuit est frais et chargé des odeurs de printemps. Je suis seule, accoudée au balcon. Un chat miaule dans le lointain. Je pense à cette soirée bizarre. Je devrais me sentir triste et seule. Et pourtant, je suis heureuse. Je ne sais pas pourquoi.

Augustin doit être rentré chez lui. Je pense à lui, et je me sens pleine de confiance, de calme. Toute la soirée s'est envolée, comme si je ne l'avais pas vécue. Un mauvais rêve. Je ne vois qu'Augustin, son visage près du mien, ses doigts sur ma joue. Je reste longtemps à respirer la fraîcheur nocturne, sans penser à rien.

Chapitre 13

Un rayon de soleil filtre à travers les volets.
Clémence gratte contre la cloison. Je me
lève, j'ai hâte de lui raconter ce qui s'est
passé hier soir.
La bille bleue est sur le tapis. Je l'avais
complètement oubliée. Elle a dû tomber
quand j'ai enlevé ma jupe pour me coucher.
La bille bleue m'aurait-elle envoyé Alex?
La sorcellerie est vraiment incontrôlable.
Par mesure de sécurité, je la pose sur la
table de nuit.

Clémence est dans son lit, son pied plâtré posé sur un oreiller. La couette est par terre. Je la ramasse et me couche à côté de ma sœur.

– Alors ! Raconte ! C'était bien ?

Elle est tout excitée, Clémence. Elle partage mon récit comme si elle avait été avec moi à la soirée. Je lui parle d'Alex, je lui dis comment Augustin est venu à mon secours, qu'il m'a ramenée. C'est tout. Je ne choisis pas de lui cacher les gestes tendres d'Augustin, je n'y pense simplement pas.

– Et Rémi ?

– Oh ! Rémi, il était avec Maëlla et sa robe à fleurs.

Devant mon air dépité, Clémence se met à rire :

– Ce sont les fleurs qui lui ont plu, pas Maëlla. Elle est trop Barbie pour lui.

On éclate de rire.

– Et Youssef ? me demande Clémence entre deux hoquets.

– Furieux. Maëlla court à la catastrophe !

– De toute façon, il est trop mignon pour elle, Youssef. Je le trouve craquant, pas toi ?

– Mouais !

Les yeux noirs de Youssef me laissent indifférente. Pas Clémence, apparemment. Elle insiste :

– Alors, vraiment ? Youssef et Maëlla, c'est fini ?

– Ça, on le saura demain, par les potins du collège ! Allez, je vais chercher un plateau, on se prend un petit déjeuner sous la couette !

Je me sens légère. J'ai retrouvé ma sœur et notre complicité. Je pars en chantonnant vers la cuisine.

Encore un dimanche comme je les aime ! Papa et maman sont allés au cinéma. Ils sont rentrés très joyeux et se sont installés avec nous sur le canapé du salon. Puis maman nous a fait des crêpes. On a passé la fin d'après-midi tous les quatre devant la télé. Papa grignotait une pizza froide en riant. Il a même regardé les clips avec nous, sans nous empêcher de parler.

Ce matin, je me dépêche de partir au collège. Clémence dort encore, les parents sont partis travailler. Le week-end est terminé. En descendant l'escalier, je tombe nez à nez avec Rémi. Il m'attendait :

– Je peux t'accompagner ?

– Bien sûr.

Il a l'air complètement perdu :

– Tu sais, je suis désolé pour samedi soir. J'ai pas vu ce qui s'est passé. J'étais dans la salle, la musique était à fond…

J'ai envie de lui lancer que s'il n'avait pas été avec Maëlla, tout cela ne serait peut-être pas arrivé. Au lieu de ça, je dis :

– T'y peux rien, Rémi. Je me suis fait avoir. C'est tout.

On marche un moment en silence. Rémi est vraiment très embêté. Il prend ma main, mais je me dégage tout de suite. Je lui en veux tout de même un peu. On arrive au collège sans avoir échangé un mot de plus.

– Il y a un match de basket, demain soir. Tu viendras avec moi ?

Il a dû chercher pendant tout le trajet comment me proposer ça.

– Je ne sais pas. Je verrai.

– Je serai là à cinq heures, pour les photocopies.

Alors là, sûrement pas ! J'ai envie d'être seule avec Augustin. Je suis curieuse de savoir s'il va me parler de la soirée. Je regarde Rémi droit dans les yeux. Mon ton est très autoritaire :

— C'est pas la peine.

Je le quitte et me mêle aux autres, qui entrent en cours.

Chapitre 14

J'ai vite oublié Rémi. Les filles n'ont pas arrêté de me poser des questions sur Alex. Sur ce qui s'est passé. Je me demande si elles auraient réagi comme moi. Elles le trouvent tellement beau ! À croire qu'elles regrettent de ne pas avoir été à ma place. Seule Clarisse comprend. Elle connaît un peu Alex.

— De toute façon, ce type, je l'ai trouvé bizarre dès que je l'ai vu, dit-elle. Je ne crois pas qu'il remettra les pieds chez nous. Marc l'a mis dehors, il n'est même pas allé à son concert.

M. Loiseau, le professeur de biologie, nous a gardés après la sonnerie. Il n'en finissait plus de parler de basaltes et de volcans. Je n'ai rien écouté. Plus l'heure passait, plus je pensais à mon rendez-vous avec Augustin. Et s'il ne venait pas ? Il y a une semaine, je redoutais ce moment ; maintenant, je l'attends avec impatience. Je n'y comprends rien.

Il est presque cinq heures et quart. Pourvu qu'il soit encore là ! Je cours dans les couloirs. Et s'il avait oublié ?

En entrant dans le foyer, je l'aperçois de dos, en train de sortir les photocopies de la machine. Je m'arrête à la porte, mon cœur bat plus fort. Il va partir. J'en veux à M. Loiseau, c'est sa faute si Augustin a déjà fait les photocopies. Si nous ne resterons qu'un instant ensemble. Je m'approche d'un pas tremblant.

Il se retourne comme s'il m'avait sentie derrière lui. Un superbe sourire illumine son visage. Il se penche vers moi pour m'embrasser. Clarisse et Maëlla nous regardent. Je suis gênée.

– J'avais peur que tu ne viennes pas. J'ai déjà fait les copies.

Il parle très bas, comme s'il ne voulait pas que les autres entendent. Ils ont les yeux braqués sur nous. Augustin prend son sac :

– Viens ! On s'en va.

Comme l'autre soir, je le suis sans réfléchir. Le trottoir est jonché de fleurs de marronniers. Nous foulons un tapis de pétales roses et blancs qu'un vent doux balaie légèrement. Augustin a l'air soucieux. Je ne sais pas s'il m'emmène quelque part ou si, simplement, il fait un bout de chemin avec moi. En passant devant le square, il pousse le portillon. Le kiosque est ouvert, mais la sorcière est trop occupée pour nous voir. Devant le bassin, caché par une cloison de buis, il y a un banc. Augustin s'y laisse tomber. Je m'assois à côté de lui. J'aimerais qu'il dise quelque chose. Je me sens bien avec lui, mais son attitude me trouble.

Il regarde au loin les enfants qui jouent autour de l'eau. Il a posé ses coudes sur ses genoux, la tête entre les mains. Il semble très ennuyé, et je ne comprends pas pourquoi.

– J'ai pensé à toi tout le week-end, murmure-t-il enfin.

Il fixe toujours le bassin sans bouger. Je ne saisis pas le sens des mots qu'il a employés. Mon cerveau s'est arrêté. Je suis tétanisée. Alors, il se tourne vers moi avec violence, comme pour me réveiller :

– Tu comprends ce que cela veut dire ? Ce n'est pas à Clémence que j'ai pensé, c'est à toi. À toi !

Son cri me fait tressaillir. Je pose ma main sur son épaule, ma voix est faible :

– Moi aussi, j'ai pensé à toi.

– Quand je t'ai vue arriver à la fête de Clarisse, c'était comme si je te voyais pour la première fois. Tu étais tellement belle ! Je te regardais danser, bouger. Je ne pouvais plus penser à rien d'autre qu'à toi.

– Qu'est-ce qu'on va faire ?

Je pose la question, et mon cœur enfle et se serre en même temps. On doit se tromper. Augustin aime Clémence. Il ne faut pas que je sois amoureuse de lui. J'essaie de me souvenir à quel point il a été odieux. Les mots de sa lettre à Clémence résonnent dans ma tête : il veut la tenir dans ses bras ; moi, je suis la petite. Qu'est-ce que je fais là ? Pourtant, je ne veux pas bouger. Ma voix tremble :

— Tu ne me supportais pas avant. C'est seulement depuis samedi, à cause d'Alex, c'est parce que tu m'as aidée. C'est tout.

Augustin ne répond pas. Il est toujours penché en avant, la tête dans les mains. Un pigeon vient ramasser une miette à ses pieds. Je crois qu'il ne le voit même pas.

— Qu'est-ce que tu as dit à Clémence ?

— Tout. Enfin, presque : Alex, ton coup de poing. Je lui ai expliqué que tu m'avais ramenée…

Parler de Clémence me gêne, comme si elle était là, avec nous.

— Il faut que je rentre, Augustin. Clémence doit m'attendre, et maman n'aime pas que je sois en retard.

Augustin relève la tête sans quitter des yeux le bassin et les enfants qui courent :

— Écoute, Pauline, je ne veux pas que Clémence souffre. Je lui ai fait assez de mal comme ça. Son pied cassé, c'est ma faute.

Je voudrais lui dire qu'il n'y est pour rien, mais il continue :

— D'ici à ce qu'elle retourne au collège, je

te passe les cours, et c'est tout. D'accord?
Il a fait un effort pour dire cela. Je le
regarde et je suis triste. J'ai envie de crier:
«Non!» Lorsque j'étais petite, je rêvais
souvent que maman m'offrait un paquet
magnifique entouré d'un ruban et, au
moment où j'allais déchirer le papier, elle
m'ôtait le cadeau des mains. J'avais beau
essayer de crier: «Non!» aucun son ne sor-
tait de ma bouche.
J'articule avec difficulté:
– On n'a qu'à faire comme avant, quand
on ne s'aimait pas!
Je réussis à rire, mais Augustin, lui, ne rit
pas. Il tourne doucement la tête vers moi. Il
est très sérieux:
– Avant? Je m'efforçais de ne voir que la
petite sœur de Clémence. Je te trouvais tellement jolie, toujours calme, pas exubé-
rante, simple!
Je comprends maintenant son indifférence!
C'est trop bête. Une énorme boule me serre
la gorge.
Je me lève:
– Tu as raison. Je m'en vais.
Je m'éloigne du banc le plus vite possible.
Il va peut-être m'appeler, me rejoindre en

courant. Je finis par me retourner. Il est toujours assis dans la même position. C'est sans doute mieux ainsi.

Chapitre 15

– Pauline ? C'est toi ?
La chanson de Khaled couvre presque la voix joyeuse de Clémence.
Elle vient vers moi, claudiquant sur ses béquilles. Mon sourire ne la convainc pas :
– Qu'est-ce que tu as, Linette ?
– Je sais pas. Je suis crevée.
Tiens, Youssef est là ! Sans Maëlla ? Mais ça ne m'intéresse pas. J'ai d'autres problèmes, et de toute façon je n'ai pas envie

de le voir. J'aimerais mieux être seule avec ma sœur, ou même seule tout court. Clémence me fixe, les sourcils froncés, mi-souriante, mi-interrogative. Je sors les photocopies de mon sac :

— Tiens, tes cours.

Je les jette sur le sofa. Clémence suit mon geste, étonnée. Puis, subitement, comme s'il lui avait appris quelque chose, elle met ses deux béquilles dans une main et s'accroche à mon bras. Elle est faussement enjouée :

— Viens là, qu'on te remonte le moral ! Youssef va te raconter ce qu'il m'a dit sur Alex.

Alex, Augustin, je ne veux plus rien entendre. Je l'arrête d'un ton las :

— C'est pas la peine, Youssef, je préfère oublier.

Clémence n'insiste pas, elle semble réellement ennuyée de me voir comme ça :

— Bon, on laisse tomber Alex ! Youssef m'a apporté des CD. Regarde !

Elle me tend deux pochettes de disque. Son insistance m'agace :

— Je ne suis pas bien. Je vais aller me coucher, ça ira mieux demain.

Clémence n'essaie pas de me retenir. En quittant la pièce, j'entends Youssef qui me dit :

– À demain !

La bille bleue, posée bien en évidence sur la table de nuit, est la première chose que je vois en entrant dans ma chambre. Un reflet de soleil la fait briller et m'envoie un signe. Je la prends et m'allonge sur le lit. Les feuilles des arbres de la rue agitent des ombres au plafond. Je tiens la bille serrée au creux de ma main. Les larmes, tout doucement, glissent dans mon cou, chaudes. J'entends les rires de Clémence et de Youssef. Je fixe la bille bleue et répète comme une poupée mécanique : « Je ne suis pas amoureuse d'Augustin. Je ne suis pas amoureuse d'Augustin. » Mais les sanglots m'étouffent, les larmes amères m'inondent la bouche.

Plus je répète cette phrase, plus je me sens amoureuse. Je vois son visage, ses mains, son regard. Et, peu à peu, une petite voix insidieuse remplace la mienne : « Augustin est amoureux de toi. Augustin est amoureux de toi. » Je roule sur l'oreiller, j'y enfonce mon visage pour ne plus rien entendre. La bille bleue est dans mon poing, enfermée. Je ne veux plus penser à Augustin. Je voudrais que Clémence ne se soit jamais cassé le pied. Que cela soit effacé et que tout redevienne comme avant.

Chapitre 16

Le chant des merles dans les buissons de la cour me réveille. J'ai dormi tout habillée. J'ai serré la bille tellement fort que la paume de ma main est marquée par mes ongles.
Je me lève doucement. Il doit être très tôt. Le ciel est bleu pastel, le soleil rond au-dessus des toits. Je jette un coup d'œil sur le réveil. Six heures. J'ai envie de sortir. J'enfile un blouson et quitte doucement l'appartement.

Quelques voitures circulent déjà. La rue se réveille petit à petit. La boulangère ouvre son rideau. Un chien errant, attiré par l'odeur de pain frais, cherche à entrer. Elle le chasse négligemment. Il continue son chemin, titubant devant moi d'un bord à l'autre du trottoir ; il est sur une piste. Et moi ? Où vais-je ? Je suis le chien. Des jardiniers ont laissé la porte du square ouverte. Ils ratissent les allées. J'entre, j'essaie de ne pas me faire remarquer, longe le mur jusqu'au banc caché par le buis. Le chien court au milieu d'une pelouse. Les jardiniers sont trop occupés pour le voir. Je m'assois sur le banc humide.

L'air est frais et parfumé, l'herbe brille de rosée. Je respire profondément. Tout est calme. Je repense à Augustin et moi, assis là, hier. Tout a changé si vite ! Je sais maintenant pourquoi nous refusions d'être copains. Je m'interroge à haute voix :

– Tu aimes Augustin ?

Et je réponds :

– Oui.

Je me laisse aller contre le dossier. J'ai besoin de me reposer, comme si je venais d'arriver quelque part. Mais tout à coup, l'image de Clémence embrassant Augustin dans le cinéma se met à clignoter dans ma mémoire. Je me redresse, je crie :

— Ce n'est pas possible !

Non, ce n'est pas possible. Je ne peux pas aimer Augustin, sortir avec lui, l'embrasser en me cachant de Clémence ! Qu'est-ce que je vais devenir ?

Partir très loin ! Pourtant, je ne veux pas les quitter. Je ferme les yeux. Si cela pouvait suffire à me faire disparaître !

— Pauline… Pauline ?

Augustin est assis à côté de moi. Il a mis son bras autour de mes épaules. Il m'attire à lui. Je rêve ? Non, il est bien là. Son regard est plongé dans le mien. Il essuie une larme sur ma joue :

— Tu pleures ? Qu'est-ce que tu fais là, si tôt ?

— Et toi ?

Il sourit :

— Je n'ai pas bien dormi. J'avais envie de marcher. Je suis venu là.

— Moi aussi.

— C'est chez nous.

Il prend tendrement mon visage dans ses mains, sa bouche chaude se pose sur mes lèvres :

– Je t'aime, Pauline. Je voudrais rester avec toi, toujours.

– Et Clémence?

– Je ne sais pas… Mais je ne peux pas ne plus te voir.

Le soleil surgit de derrière le mur et nous aveugle un peu. Augustin se lève et me tend la main :

– Viens !

Nous marchons, enlacés, d'un même pas régulier et lent. Ma tête est posée sur son épaule. La sorcière est en train d'ouvrir les volets du kiosque. Elle se tourne vers nous. Je me dégage des bras d'Augustin, mais la sorcière nous a vus. Elle s'approche, nous regarde longuement :

– Venez par là.

Nous la suivons à l'intérieur. Elle nous tend à chacun un croissant et s'assoit devant un café fumant. Le silence s'installe. La sorcière boit son café par petites gorgées. Augustin tient son croissant à la main, le regard dans le vague. Les oiseaux du jardin font un concert magnifique, mais je les entends à peine. Un merle se risque par la porte entrouverte, il vient picorer quelques miettes. La sorcière le regarde et sourit :

– Viens, l'oiseau! Viens!

Elle lui tend un petit morceau de pain. Il volette jusqu'à sa main, se pose sur son poignet et prend la nourriture. Est-elle vraiment sorcière, ou bien fée, pour parler ainsi aux oiseaux?

Quand il a fini de manger, le merle se pose sur son épaule et nous regarde de son œil rond.

– Il y a quelque temps, il venait comme un voleur, chercher ce qu'il aime le plus, le pain, mais aussi l'affection. Il est comme tout le monde, animaux, hommes, nous avons tous besoin d'amour.

Elle a posé sa tasse et mis ses deux mains dans les poches étroites de son jean. Le merle est juché sur son épaule, il tourne la tête dans tous les sens, rapidement mais sans inquiétude. Elle est grande, massive, solide et sage. Si elle était vraiment sorcière, elle aurait plutôt un hibou comme compagnon. Sa voix est chaude et calme:

– L'amour ne se vole pas; il ne se commande pas non plus.

Elle tourne lentement la tête vers l'oiseau qui la regarde:

– Il était jeune, gourmand, il cherchait la

tendresse. Il a su me le faire comprendre, et son bonheur est devenu le mien.

Nous restons assis sans bouger, fascinés par le spectacle et la voix de la sorcière.

— Il vient maintenant tous les matins, nous sommes de vieux complices. Je lui donne mon pain et mon amitié. Il n'est plus un voleur.

La sorcière a fini de parler. L'oiseau s'envole. Elle suit des yeux ses évolutions gracieuses.

— Il reviendra demain.

Elle fait un pas vers nous.

— Il faut partir maintenant. Votre vie vous attend. Et moi, j'ai du travail.

On se lève, un peu troublés, ne sachant quoi dire. Augustin sort le premier. La sorcière me retient par le bras :

— Tu as toujours la bille bleue ?

Un faible son sort de ma gorge :

— Oui.

— Garde-la précieusement, Pauline.

Bien qu'il soit encore tôt, le soleil est éclatant et chaud. Le square, presque désert. Quelques femmes poussent des landaus. Deux ou trois petits jouent dans un bac à sable. Les jardiniers terminent la toilette du matin de ce coin de verdure pris entre les immeubles et le bitume. Dans quelques heures, il retentira des cris joyeux des enfants, des courses, des cavalcades, des sonnettes de vélos.

— Tu as vu l'heure ? dit Augustin. Ce n'est plus la peine d'aller au collège.

Je suis d'accord avec lui. D'ailleurs, je ne suis pas en état de suivre les cours. Je suis exténuée, mais ravie, remplie d'un calme immense. Je prends la main d'Augustin. Il me sourit :

— On est bien.

— Qu'est-ce qu'on va faire ?

Je ne suis pas inquiète. Mais il y a, devant moi, une journée entière sans collège, sans horaires ; cela me donne l'impression d'être entrée dans un monde qui n'est plus le mien.

— Si on avait des maillots, on pourrait aller à la piscine.

Augustin ne répond pas. Il réfléchit. La tête penchée vers le sol, il shoote dans les graviers à chaque pas. Finalement, il se place face à moi, les deux mains sur mes épaules :

— On va rester tous les deux, sans que personne ne sache où on est. Ce soir, on aura peut-être trouvé ce qu'il faut dire à Clémence.

Son ton est convaincant. Les paroles de la sorcière sur la vie qui nous attend sonnent dans ma tête.

– Je ne suis jamais monté sur un bateau-mouche. Viens ! lance Augustin.

Tout joyeux, il se met à courir.

– Tu as de l'argent ?

– Les parents m'en ont laissé pour manger ce soir. Julien est chez Mamie, ils rentre-ront tard.

– Mais, si tu ne manges pas ?

– … j'aurai passé la journée avec toi. C'est encore mieux.

Il s'arrête pour me prendre dans ses bras.

Chapitre 17

Le 72 nous a déposés juste à l'embarcadère du pont de l'Alma. Il y a peu de monde, surtout des touristes. Ils ont l'air d'apprécier Paris. Aujourd'hui, je suis comme eux, étrangère à cette ville. Cela me fait très plaisir. Et puis, le bateau-mouche, c'est géant ! Accoudé à la rambarde du pont promenade, Augustin me tient par le cou. En se penchant un peu, on voit l'étrave du bateau. Le vent, tiède et léger, nous rafraîchit.

Augustin fait un large geste du bras en désignant les monuments.

– L'histoire défile devant nous, dit-il en riant. Tu vois ces tours, là, c'est la Conciergerie où Marie-Antoinette et ses enfants ont été enfermés, et l'île de la Cité ! Regarde le palais de Justice.

Appuyée contre lui, je l'écoute me parler de notre ville. Il sent bon. Il sent le printemps, le vent, les feuilles des arbres.

– Quand j'étais petit, ma grand-mère me promenait par là, tous les mercredis. Elle me montrait « son Paris ». C'est grâce à elle que je l'aime tant. Oh ! Notre-Dame ! Regarde comme elle brille au soleil. Tu sais que l'hiver elle tremble de froid.

Augustin me serre plus fort, comme si une bise glacée nous faisait frissonner. On rit, on s'embrasse. La ville est magnifique. Il y a des amoureux sous tous les ponts ; je suis comme eux, libre, seule. La petite Pauline me paraît loin ! Augustin m'a ouvert la porte d'un monde merveilleux.

La lumière est devenue plus dense, plus chaude. Il est déjà six heures. Le bateau nous a laissés sur la rive, heureux, amoureux, grisés d'images et de soleil.

Assise sur le parapet du quai, devant le Grand Palais, je sais qu'il va falloir rentrer, nous quitter, retrouver Clémence. J'aimerais tellement lui raconter ma journée, mon amour! Je ne peux pas. C'est la première fois que je vis quelque chose de si important, et je ne peux pas lui en parler! Les pigeons viennent se poser près de nous, sur la pierre tiède. Je les regarde en pensant à la sorcière, à son ami le merle. Dans la poche de mon blouson, ma main retrouve la bille bleue. Elle étincelle dans la lumière. Je la montre à Augustin :

– Regarde! C'est la sorcière qui me l'a donnée.

– C'est drôle, je pensais à elle. À ce matin. Je suis sûr que c'est une fée, pas une sorcière. Elle nous a donné un croissant magique. Mais la journée est terminée. Il n'y en aura pas d'autre. L'effet du croissant s'est dissipé.

Il était si gai, tout à l'heure, et le voilà triste. Je devine ce qu'il pense :

– Si on allait tout raconter à Clémence? Si on lui expliquait qu'on s'aime, que tu t'es trompé?

Les mots s'arrêtent dans ma gorge, je vois

Clémence en larmes. Qu'est-ce qu'il faut faire ? Je suis perdue. J'ai froid, tout à coup, et me pelotonne contre Augustin. Il faudrait ne jamais bouger d'ici.

Augustin ne dit rien. Un pigeon s'approche de lui, il tend la main vers l'oiseau, qui s'envole.

– Tu sais, Augustin, tout ce que je souhaite, c'est que ma sœur soit heureuse. Heureuse comme moi aujourd'hui, et que je n'aie jamais à lui mentir.

Augustin me regarde, il réfléchit à ce que je viens de dire. Puis il m'embrasse tendrement. Ce baiser me dit vraiment qu'il m'aime. On reste enlacés un moment.

Tout à coup, Augustin rompt notre silence :
– Viens ! On va lui parler.

Le 72 se gare le long du trottoir, Augustin me tire par la main. On monte dans l'autobus sans échanger un mot.

Chapitre 18

Mon cœur ralentit au fur et à mesure que je monte l'escalier. C'est comme si j'allais voir ma sœur pour la dernière fois, comme si tout allait être fini entre nous dès que j'aurais franchi la porte de l'appartement. Je voudrais être encore sur le bateau, dans les bras d'Augustin! Si la magie existait vraiment, je demanderais que Clémence n'ait jamais été amoureuse de lui. Augustin monte lentement, la tête dans les épaules.

Je n'ose pas le regarder. Ma voix tremble presque autant que mes jambes :

– Qu'est-ce qu'on va lui dire ?

– Je ne sais pas.

Il n'y a plus qu'à mettre la clé dans la serrure. J'entends le son de la télévision, de l'autre côté de la porte. Paniquée, je regarde Augustin. J'ai envie de fuir. Je murmure tout bas une prière : « Aide-moi, Clémence, s'il te plaît. » La clé tourne, la porte s'ouvre.

– Pauline ? C'est toi ?

En entendant la voix de Clémence, j'ai envie de faire demi-tour, descendre l'escalier, disparaître dans la ville. Mais si je ne veux pas perdre Augustin, il faut que je dise la vérité. Augustin prend ma main au moment où on pénètre dans la pièce. Lui non plus n'est pas fier, il tremble un peu. Je le trouve drôlement courageux.

Assise sur le sofa, Clémence regarde la télévision. Elle n'est pas toute seule : deux pieds nus, taille 43, précédés de deux longues jambes en jean reposent sur la table basse à côté d'une énorme boîte de chocolats, une bouteille de Coca vide et le pied plâtré de Clémence. Un bras masculin est passé autour de ses épaules, une masse de cheveux noirs et frisés est appuyée contre sa tête. La télé bourdonne. Sans ôter son bras du cou de Clémence, Youssef se retourne et nous fait un signe de la main :

– Salut !

Je suis tellement surprise que mon angoisse s'évanouit complètement. J'interroge Augustin du regard. Il a l'air éberlué. On reste tous les deux à l'entrée de la pièce, figés comme des statues. Clémence et Youssef ? Youssef avec Clémence ?

Mais ma sœur ne nous laisse pas le temps de réagir :

– Où vous étiez passés, tous les deux ?

On dirait qu'elle trouve tout ça normal, Clémence ! Elle a même son sourire des bons jours. Un peu forcé peut-être ? Je m'approche pour l'embrasser. Augustin n'a pas bougé. Il regarde Clémence et finit par articuler : « Ça va ? »

– Oui, oui. La sorcière m'a envoyé des chocolats. C'est Youssef qui me les a apportés. Ils sont super bons !

Youssef se lève enfin, vient me faire la bise et serre la main d'Augustin.

– Il y a encore du Coca dans le frigo. Vous

voulez des chocolats? dit-il en nous tendant la boîte.

Là, il exagère un peu, Youssef. Il se croit vraiment chez lui. Augustin et moi, on est trop troublés pour boire ou manger quoi que ce soit. On répond: «Merci» en même temps. Youssef retourne s'asseoir à côté de Clémence. Le silence est lourd. Clémence cherche quelque chose à dire. Finalement, elle prend une voix un peu pointue:

– Youssef m'a dit que vous n'étiez pas au collège. Heureusement que maman n'est pas rentrée, Linette. Tu imagines?

Oui. J'imagine la colère de maman, mais je comprends aussi que Clémence et Youssef, enlacés sur le canapé, nous avaient complètement oubliés. Pendant qu'Augustin et moi, nous étions torturés par l'idée que nous allions lui faire du mal, Clémence filait le parfait amour avec Youssef! Je me sens tellement soulagée, tellement légère! Youssef! J'aurais dû m'en douter. Clémence le trouvait «craquant», et comme Maëlla adore danser avec Rémi...

J'ai envie d'éclater de rire. Toute mon inquiétude de la journée s'envole, je regarde Augustin, il essaie de parler, mais il ne sait plus quoi dire.

– On était... Bon, j'ai ramené Pauline, maintenant, j'y vais.

Il se tourne vers moi :

– À demain, Pauline.

Il dépose un baiser sur mes lèvres devant les deux autres, comme si c'était aussi naturel que Clémence et Youssef sur le sofa.

Il se penche, embrasse Clémence sur les deux joues :

– Je suis content que Youssef soit resté avec toi. J'espère que tu reviendras vite au collège.

Clémence me fait un clin d'œil complice par-dessus l'épaule d'Augustin. Je lui réponds d'un sourire discret. Je suis heureuse. J'ai retrouvé ma sœur.

– Salut, Youss ! lance Augustin en sortant.

– À plus ! répond Youssef, déjà concentré sur la télé.

Je cours dans l'escalier derrière Augustin, légère. La bille bleue tombe de ma poche et roule jusqu'aux pieds d'Augustin, qui la ramasse et me la tend :

– Je crois qu'on lui doit beaucoup. Ne la perds pas !

Je pense à Clémence avec Youssef. Je regarde Augustin :

— Tu n'es pas trop triste ?

Il me sourit :

— Pourquoi je serais triste ? Je t'ai, toi, et Clémence reste mon amie.

Ses bras m'entourent, son visage se rapproche du mien, les yeux clos, je lui rends son baiser.

Puis il s'éloigne, et je le suis du regard jusqu'au coin de la rue. J'ai hâte d'être à demain ! Avant de traverser, il se retourne et m'envoie un dernier baiser du creux de la main.

Les marronniers sont splendides. Dans l'escalier, je croise Youssef qui s'en va. On se dit « À demain », sans commentaire. Je monte quatre à quatre. La soirée va être longue, on en a des choses à se raconter, Clémence et moi ! La bille bleue est dans ma main, et la vie me paraît formidable.

FIN

Et pour rêver encore,
lis cet extrait
de
LE SECRET DE LÉA
de Rosemary Vernon

Chapitre 5

Vendredi soir, Léa se rendit au Rollerparc avec Marcy et Kevin. Une grande première, car elle n'avait jamais fait de rollers ! Or, au Rollerparc, on dansait… en rollers.

Quand Marcy lui avait proposé cette sortie, Léa avait refusé net. Mais son amie avait su la convaincre. « Tu travailles sans arrêt ! » lui avait-elle affirmé, avant d'assener l'argument décisif : « Tu veux changer ? Alors commence par t'amuser ! »

Mais, pour l'instant, Léa ne s'amusait pas

du tout. Chaussée de superbes rollers bleu vif, elle s'agrippait à la rambarde de la piste, n'osant bouger d'un pouce. Elle était sûre qu'au moindre mouvement elle valserait par terre ! « Je n'aurais jamais dû venir », se répéta-t-elle avec irritation, les yeux rivés sur Marcy et Kevin. Évoluant au milieu de l'arène, ils patinaient au rythme de la musique. Du rap, évidemment. Léa détestait le rap.

– Qu'est-ce que tu attends ! l'encouragea Marcy pour la troisième fois. Tu verras, c'est facile ! Je vais t'apprendre !

Léa prit une profonde inspiration. Elle n'allait tout de même pas passer la soirée scotchée à la barrière ! À contrecœur, elle s'apprêtait à se lancer prudemment sur la piste lorsqu'un adolescent la doubla à toute allure, manquant de la renverser.

– Aïe ! gémit-elle en se retenant à la rambarde.

Le jeune homme freina aussitôt et revint vers elle :

— Excuse-moi. Ça va ?

— Oui, oui…

Il était blond, plutôt trapu, et avait des yeux très bleus.

— Ça ira, lui assura Léa en se forçant à sourire. Je suis archidébutante, alors…

Écarquillant les yeux, le garçon l'interrompit :

— Léa ! Léa Davis !

— On se connaît ?

Il sourit lui aussi, et deux fossettes apparurent dans le creux de ses joues. Il avait l'air franc et sympathique.

— Je suis Rick. Rick Addison. On était en sixième et en cinquième ensemble.

— En sixième et en cinquième ?

Léa le contempla, perplexe. Puis, subitement, le souvenir d'un gamin joufflu lui revint. Mais bien sûr !

— Ça alors ! Je ne t'aurais pas reconnu ! avoua-t-elle en riant pour masquer sa confusion.

— Toi, tu n'as pas tellement changé, dit Rick,

le regard pétillant. Tu as grandi, c'est tout.
Léa sentit sa gorge se nouer. « Si, j'ai changé, mais ça ne se voit pas ! »
– Tu es toujours au lycée d'Elton ? s'enquit-elle poliment.
– Seulement depuis la rentrée. J'ai été en quatrième et en troisième ailleurs, précisa Rick. Et toi ?

Découvre vite la suite de cette histoire
dans
LE SECRET DE LÉA
N° 333 de la série

Cœur Grenadine

Cœur Grenadine

Impression réalisée sur CAMERON par

BRODARD & TAUPIN

GROUPE CPI

La Flèche
en mars 2001

Imprimé en France
N° d'Éditeur : 6621 – N° d'impression : 6084